TABLE DES MATIERES

L'EAU DE MER

L'eau salée

L'eau est très importante pour les hommes. Nous mourrions de soif si nous ne pouvions boire de l'eau, et nous en utilisons beaucoup, que ce soit pour nous laver ou pour faire fonctionner les usines et les centrales électriques. Presque toute cette eau est de l'eau courante, et provient en général de réservoirs, de rivières et de lacs.

L'eau courante que nous utilisons n'est pas la seule eau sur Terre. La plus grande partie de la surface de notre planète est couverte de grandes étendues d'eau que nous appelons les mers. Si l'on goûte l'eau de mer, on s'aperçoit immédiatement que, contrairement à l'eau courante, elle est salée. En effet, l'eau de mer contient beaucoup d'éléments qui y sont dissous, et qui forment le sel que nous goûtons.

Bien que ni l'eau salée ni l'eau courante ne soient colorées, la mer semble souvent bleue à la lumière du soleil. C'est que plusieurs couleurs composent la lumière solaire. Certaines d'entre elles disparaissent très vite dans la mer, tandis que la lumière bleue rebondit ou est réfléchie, vers la surface, de telle sorte que la mer semble bleue. La mer peut aussi sembler verte lorsqu'il s'y trouvent beaucoup de petites plantes, et les cieux orageux qui occultent la lumière là-haut lui donnent une teinte grise.

LA MER

Chantecler

Comment se servir de ce livre?

Tout d'abord, jetez un coup d'œil à la table des matières qui se trouve ci-contre. Parcourez la liste des chapitres pour voir si elle contient le sujet qui vous intéresse. Cette liste vous donne le contenu de chaque page. Vous pouvez donc y pointer la page qui vous donnera l'information cherchée.

Si vous désirez avoir des détails sur un sujet particulier, consultez l'index de la page 31. Par exemple, si vous voulez en savoir davantage à propos de la pollution, l'index vous indiquera la page 29 où ce sujet est abordé. L'index énumère aussi les illustrations qui ponctuent ce livre.

En lisant ce livre, vous rencontrerez quelques mots inhabituels. Le glossaire de la page 30 en donne la signification.

Titre original: *The sea*
Edition originale: © MCMLXXXVI by Macdonald & Co (Publisher)
All rights reserved. *1989*
Edition française: © MCMLXXXIX by Editions Chantecler,
division de la Zuidnederlandse Uitgeverij N.V.,
Aartselaar, Belgique. Tous droits réservés.
Adaptation française: M. Gosselin.
D-MCMLXXXIX-0001-42

Ces ouvriers portugais rassemblent le sel qui provient de l'eau de mer. Dans ces marais salants peu profonds, l'eau s'évapore grâce à la chaleur du Soleil. Nous utilisons le sel pour assaisonner notre nourriture, et pour dégeler la glace qui recouvre les routes en hiver.

Le Soleil et le vent évaporent l'eau de mer, et les vapeurs d'eau s'élèvent dans l'atmosphère où elles forment des nuages. La pluie tombe des nuages et vient alimenter les rivières. L'eau des rivières s'écoule alors vers la mer, charriant des substances provenant des rochers et du sol terrestre, qui contribuent à produire plus de sel dans la mer.

Les vagues

L'eau bouge et change de forme très facilement. Lorsqu'on laisse tomber sur le sol un récipient plein d'eau, l'eau ne garde pas la forme du récipient, mais se répand partout. Nous appelons fluides les choses qui réagissent de cette façon. Celles qui ne changent pas de forme sont appelées des solides. Les eaux des étangs et des fleuves, ainsi que celle de la mer, sont très fluides, et changent facilement de forme.

Lorsqu'on jette un caillou dans un étang, l'eau change de forme pour laisser passer le caillou. Elle s'éloigne du caillou en une série de mouvements que nous appelons des ondes. Quand des ondes parviennent à l'eau peu profonde des bords de l'étang il n'y a plus suffisamment de place pour que le mouvement soit achevé.

Au fil des ans, la force des vagues emporte au loin les rochers côtiers. C'est ce qu'on appelle l'érosion.

Lorsqu'une vague passe, l'eau de mer forme une courbe. On peut observer ce phénomène en regardant un bateau flottant sur la mer.

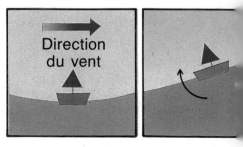

Direction du vent

Les vagues les plus dangereuses sont les raz de marée. Elles sont provoquées par une éruption volcanique ou un tremblement de terre sous-marin, et non par les vents.

Volcan en éruption

Ondes de choc

Comme ce mouvement ne peut être achevé les ondes se brisent en un peu d'écume, et l'eau fait alors le chemin inverse dans l'étang. On peut aussi observer le mouvement de l'eau sur la plage.

L'eau de mer bouge aussi facilement que celle des étangs, mais son mouvement est dû au vent qui souffle sur sa surface. Quand le vent souffle, il fait bouger l'eau de mer. Ces mouvements de l'eau sous le souffle du vent sont appelés des vagues. Plus le vent est fort, plus les vagues sont importantes. Les vents violents des tornades peuvent créer des vagues de 30 mètres de haut. Lorsque la vague arrive là où l'eau est peu profonde, son sommet, ou crête, s'écroule, et la vague se brise. Les vagues se brisent de la même manière en haute mer lorsqu'un vent violent souffle sur la surface de l'eau.

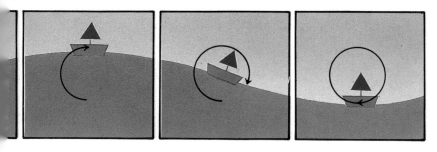

Raz de marée

Raz de marée dont la vague est projetée en hauteur près de la terre ferme, là où l'eau est moins profonde. Ces vagues atteignent une hauteur de 10 mètres.

Vents et courants

Le vent n'est pas seulement à l'origine des vagues. Il peut aussi faire s'écouler l'eau dans une direction, et ces mouvements de l'eau qui s'écoule sont les courants. La direction que prennent les courants dépend de la direction du vent.
Le courant Nord Pacifique, qui s'écoule du Japon vers le Canada, est l'un de ceux créés par les vents qui soufflent du sud-ouest appelés vents d'ouest.

Les vents les plus proches de l'équateur proviennent du nord-est, et sont appelés les vents alizés; ce sont ceux-là qui poussaient jadis les voiliers des marins qui voyageaient entre l'Europe et les Amériques.

Dans l'hémisphère Nord - la moitié du monde - les courants tournent dans le sens des aiguilles d'une montre; dans l'hémisphère Sud ils tournent dans la direction opposée.

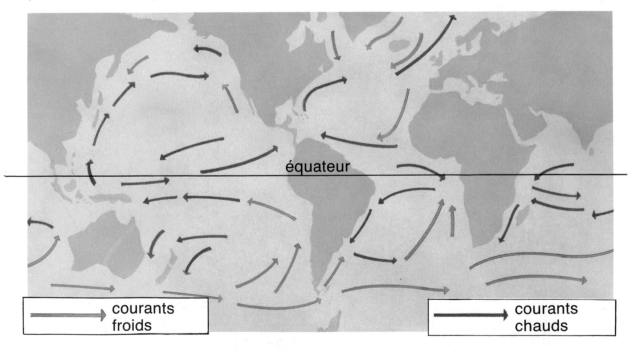

équateur

courants froids

courants chauds

Les courants de surface font en général de grandes boucles dans la mer, parce que les terres les empêchent de continuer en ligne droite.

Il y a aussi dans la mer des courants plus profonds provoqués par les différences de température et de salinité de l'eau de mer.
Ces courants des profondeurs circulent souvent dans la direction opposée à celle des courants de surface. Mais, qu'ils soient en surface ou en profondeur, tous circulent relativement lentement.

Certains courants sont chauds et d'autres froids. Les courants chauds partent de l'équateur ou y passent. Le courant Nord Atlantique est l'un de ces courants chauds. Il passe près de la Grande-Bretagne et contribue à maintenir une certaine température le long de ses côtes.

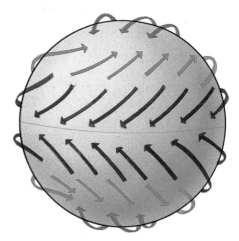

⟶ vents d'est
⟶ vents d'ouest
⟶ vents alizés

Cette photographie de la côte des Etats-Unis a été coloriée pour mettre en évidence, en rose, le courant le plus chaud, le Gulf Stream.

11

Marées

Les mouvements marins ne se manifestent pas uniquement sous la forme de vagues et de courants, et le vent et la température ne sont pas les forces les plus puissantes qui font bouger la mer. Le Soleil et la Lune sont de loin les plus importantes. La Lune tourne autour de la Terre et, telle un gigantesque aimant, attire les eaux de mer et les entraîne sur les plages ou au contraire loin d'elles. Ce sont les marées.

En Europe, il y a deux marées hautes par jour, relativement faibles: à peu près 3 mètres de haut. Dans d'autres parties du monde il peut n'y avoir qu'une marée, mais elle peut atteindre 18 mètres de haut.

morte-eau

Les marées sont provoquées par l'attraction du Soleil et de la Lune sur la mer. Lorsque le Soleil et la Lune sont à angle droit les marées sont plus basses. On parle de marée de morte-eau.

La puissance des marées est exploitée pour faire fonctionner les machines qui fabriquent l'électricité, comme dans cette usine marémotrice française.

12

e-eau   morte-eau   vive-eau

Le plus grand écart en-
tre marées basse et
haute se produit lors-
que le Soleil et la Lune
exercent leur attraction
dans la même direction.
C'est la marée de vive-
eau. Il y a deux marées
de vive-eau et deux ma-
rées de morte-eau cha-
que mois.

La Lune apparaît très régulièrement, et les marées sont donc régulières aussi. Tous les navires en partance emportent des tables indiquant
les heures et les hauteurs des marées dans les
parties du monde qu'ils vont sillonner.

La marée est très puissante, et les petits bateaux à voile éprouvent des difficultés à naviguer contre elle. Mais ils peuvent les exploiter:
les bateaux à voile quittent souvent les ports
lorsque la marée est descendante, car elle les
emporte rapidement en haute mer.

Bien souvent, de grands navires comme les pé-
troliers ne peuvent voyager près des ports qu'à
marée haute lorsque la mer est assez profonde.

MER ET TERRE

Mers et océans

La Terre est la seule planète de notre système solaire à posséder des mers. La mer s'étend sur près des trois quarts de la surface totale du monde. La présence de tant de mers sur la Terre fait que notre planète paraît bleue lorsqu'on l'observe de l'espace. Mers et terres ne sont pas réparties équitablement autour du monde. C'est dans l'hémisphère Nord que se trouvent la plupart des terres, tandis que l'hémisphère Sud a le plus de mers.

Lorsqu'on regarde la Terre à partir de l'espace on voit quelle en est la proportion recouverte par l'eau. Cette photographie montre l'océan Atlantique, le Nord-Ouest africain, et l'Amérique du Sud.

On appelle océans les plus vastes étendues de mers qui recouvrent la Terre. Il y a trois grands océans: l'océan Atlantique, l'océan Pacifique et l'océan Indien. Les mers sont plus petites que les océans, et sont partiellement entourées de terres.

Les mers et les océans n'ont pas toujours eu l'aspect que nous leur connaissons. Il y a 200 millions d'années, l'océan Atlantique n'existait pas, et les terres qui constituent aujourd'hui l'Europe et l'Afrique étaient collées aux Amériques. Mais l'océan le plus ancien, l'océan Pacifique, s'était déjà formé. La quantité d'eau n'a pas beaucoup changé sur Terre pendant tout ce temps, elle a simplement changé de place, ou encore s'est gelée ou dégelée. Au cours de la dernière période glaciaire, le niveau de la mer descendit d'un peu plus de 100 mètres: une grande partie de l'eau s'était transformée en glace et en neige recouvrant les terres.

L'océan Pacifique est le plus vaste océan du monde; il a à peu près la même taille que les océans Atlantique et Indien réunis.

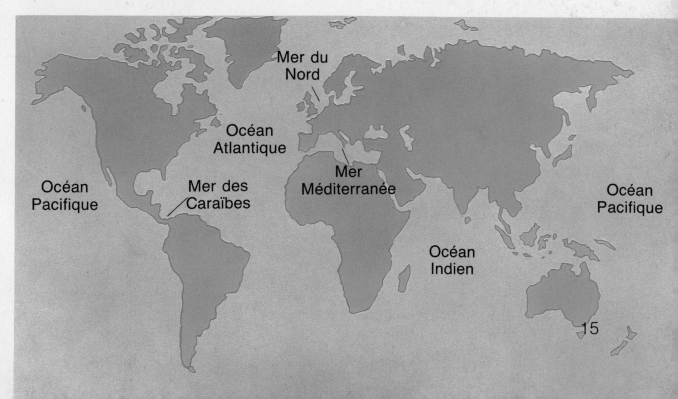

Mer du Nord

Océan Atlantique

Mer Méditerranée

Océan Pacifique

Mer des Caraïbes

Océan Indien

Océan Pacifique

e littoral

Beaucoup de plantes et d'animaux vivent sur le littoral. Certains d'entre eux vivent entre les deux niveaux de marées haute et basse, et doivent donc passer une partie de leur temps sur la terre ferme, et l'autre sous l'eau.

Les plantes marines sont très différentes des plantes qui s'épanouissent sur Terre, en ce sens qu'elle n'ont ni feuilles ni fleurs. Certaines algues se développent en pleine mer, continuellement sous eau donc, et d'autres vivent presque sur la plage. Lorsque la marée s'éloigne, ce type d'algue devient flasque et semble s'être affalée sans vie sur les rochers. Lorsque la marée remonte, elles flottent à nouveau dans l'eau.

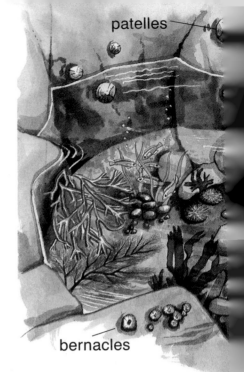

patelles

bernacles

A marée basse, on trouve souvent des animaux dans de petites mares.

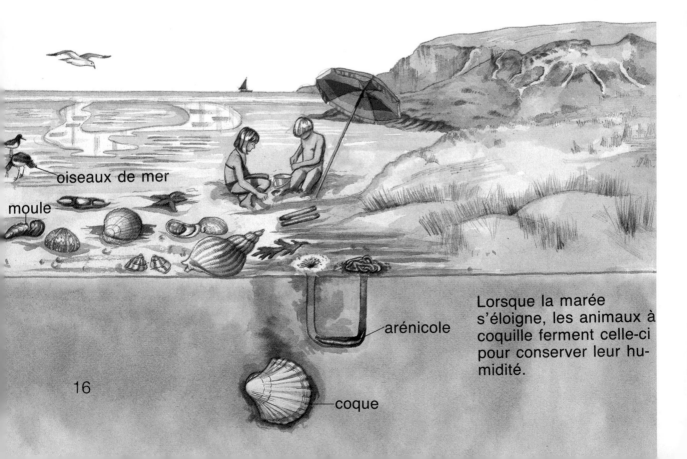

oiseaux de mer

moule

arénicole

coque

Lorsque la marée s'éloigne, les animaux à coquille ferment celle-ci pour conserver leur humidité.

16

étoile de mer

poisson

crabe

algue

Les crustacés s'accrochent souvent aux rochers du littoral. Les moules, par exemple, sont équipées d'un solide filament qui leur permet de s'agripper. Les patelles se servent de leur base qui forme une solide ventouse. Ces animaux côtiers ont besoin d'une coquille résistante pour empêcher les vagues de les endommager.

D'autres animaux côtiers se protègent en vivant enterrés dans le sable et la fange du littoral. Certains crabes creusent sous la fange ou le sable, et les coques font de même. En creusant le sable sous le niveau de la marée haute, on peut extraire certains de ces animaux enterrés. Si on les laisse tranquilles, ils se creuseront très rapidement un nouvel abri. Beaucoup d'oiseaux marins du littoral ont un long bec qui leur permet de fouiller dans le sable et d'en extraire les animaux enterrés pour les manger.

moules

Lorsque la marée remonte, les animaux sortent du sable pour s'alimenter dans l'eau.

coque

17

A la plage

Beaucoup d'entre nous vont à la mer pendant les vacances. Les vacances au littoral ne sont devenues populaires que depuis un siècle environ, lorsque les hommes décidèrent que les bains de mer et l'air frais des brises marines étaient bons pour leur santé.

Les premières plages se développèrent autour de petits villages de pêcheurs. Aujourd'hui les plages les plus populaires se trouvent en Espagne ou dans le Sud de la France. Certaines sont de véritables villes de vacances, créées pour les touristes.

Les plages ne sont pas toujours faites de sable. Cette plage écossaise est couverte de galets.

Cette plage d'Irlande est sableuse, mais comporte aussi beaucoup de rochers.

Sur la plage, on peut jouer, construire des grands châteaux de sable, collectionner les coquillages, prendre des bains de soleil, nager, faire de la planche à voile, naviguer et cueillir des plantes ou pêcher des animaux marins.

Il y a tant de choses à faire sur une plage que l'on y passe souvent beaucoup de temps. On peut y organiser des jeux, faire flotter de petits bateaux, ou naviguer sur de véritables embarcations. On peut se servir des vagues pour faire du surf, ou observer les oiseaux de mer plongeant pour pêcher le poisson. On peut aller nager. Les plages populaires où se retrouvent beaucoup de gens sont généralement des endroits sûrs pour nager; mais quand on nage dans la mer il faut toujours être prudent: l'eau cache parfois des rochers, ou des courants violents.

Avez-vous déjà bien observé le sable d'une plage? Le sable se compose parfois de rochers, parfois de coquillages broyés par les flux et reflux de la mer. Certaines plages ont du sable jaune, d'autres du sable blanc et même jaune rosâtre.

LES PROFONDEURS

Fonds obscurs

Vous êtes-vous déjà demandé à quoi ressemble le sol marin? Près de la côte, il ressemble à une plage recouverte d'eau. C'est une étendue de fange ou de sable, qui peut descendre à une profondeur de 200 mètres environ. C'est le plateau continental qui se retrouve sur presque toutes les côtes.

En haute mer, loin des côtes, le sol marin est très différent. Il comporte des montagnes et des vallées sous-marines. Les parties les plus profondes, appelées fosses, peuvent avoir 11 kilomètres de profondeur. Mais, en général, le sol marin se trouve à environ quatre kilomètres de profondeur.

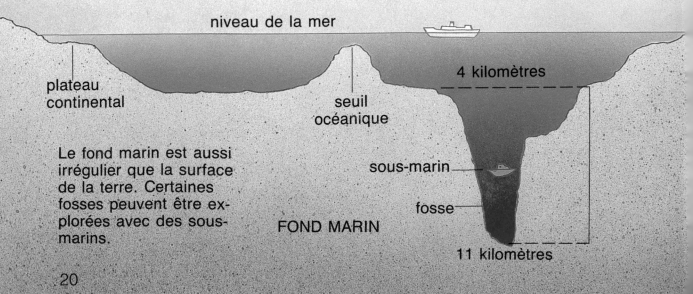

niveau de la mer

plateau continental

seuil océanique

4 kilomètres

sous-marin

Le fond marin est aussi irrégulier que la surface de la terre. Certaines fosses peuvent être explorées avec des sous-marins.

fosse

FOND MARIN

11 kilomètres

20

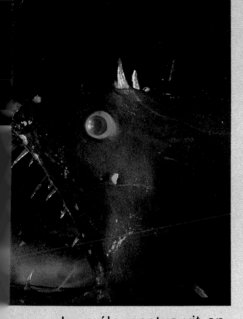

Le mélanocetus vit en haute mer. Il a une lumière au bout d'un filament, ce qui lui permet d'attirer ses proies.

Les montagnes sous-marines sont souvent de longues chaînes appelées seuils océaniques. En certains endroits, elles dépassent le niveau de la mer, formant des îles rocheuses.

La pression, ou le poids de l'eau, augmente avec la profondeur de la mer. Dans les parties les plus profondes, les fosses, la pression est plus de 1000 fois supérieure à celle rencontrée à la surface de l'eau, et les animaux qui vivent près de la surface ne peuvent généralement pas vivre sous cette immense pression.

Les parties profondes de la mer sont aussi très sombres. Le Soleil ne diffuse ses rayons qu'à quelques centaines de mètres de profondeur. Plus bas, les animaux doivent vivre et trouver leur nourriture dans l'obscurité. Certains animaux ont des lumières sur leur corps, ce qui leur permet de trouver ou d'attirer leur proie dans l'obscurité où ils vivent constamment.

TERRE AU-DESSUS
DU NIVEAU DE LA MER

L'érosion de l'eau forme des vallées sous la mer, tout comme le vent et la pluie l'ont fait ici sur la terre, au Grand Canyon aux Etats-Unis.

21

Iles et coraux

La Grande-Bretagne est une île que nous connaissons bien. Il existe aussi des îles plus petites. La mer est très importante pour les gens qui vivent sur les îles. Ils y pêchent le poisson pour se nourrir et naviguent sur la mer pour aller en quête de nourriture et de marchandises. Beaucoup d'îles, par exemple celles de la mer des Caraïbes, sont très petites. Les habitants de ces îles doivent importer presque toute leur nourriture, et parfois même l'eau potable.

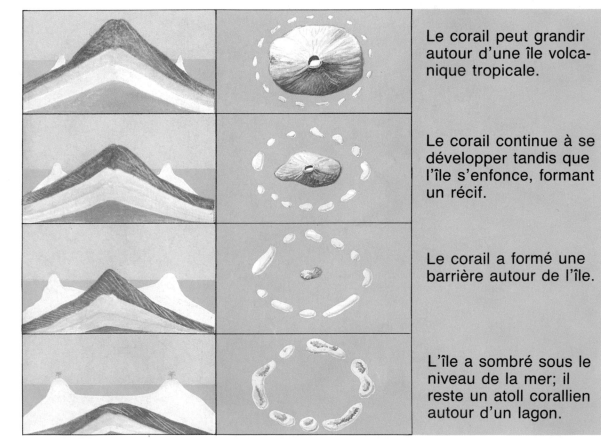

Le corail peut grandir autour d'une île volcanique tropicale.

Le corail continue à se développer tandis que l'île s'enfonce, formant un récif.

Le corail a formé une barrière autour de l'île.

L'île a sombré sous le niveau de la mer; il reste un atoll corallien autour d'un lagon.

Les coraux, comme ceux-ci qui forment un récif dans la mer Rouge, peuvent avoir des branches et ressembler à des plantes, ou encore à des rochers.

Dans les parties les plus chaudes du monde, il y a des îles coralliennes. Elles se sont formées à partir des squelettes calcaires de minuscules animaux. Les coraux vivants grandissent ensemble en colonies, formant une charpente. Ils peuvent être de différentes couleurs. Les coraux ne peuvent vivre que dans des eaux chaudes et peu profondes. Ils croissent souvent autour des volcans sur le sol marin, formant un récif corallien. Si le volcan sombre, les coraux se développeront jusqu'à enfermer un lagon.

Il y a de nombreux types de coraux, aux formes et aux couleurs différentes. Et beaucoup d'autres animaux vivent également sur ces récifs. De nombreuses espèces de poissons vivent de plantes ou mangent les madrépores dressés dans l'eau, et parfois se cachent parmi les coraux lorsqu'un poisson plus grand les pourchasse. Des anémones et des étoiles de mer vivent là également.

LA VIE DANS LA MER

La respiration du poisson

Lorsque nous respirons nous prenons dans nos poumons un peu de l'air qui nous entoure. Les poissons, eux aussi, ont besoin d'oxygène pour vivre, mais ils vivent dans l'eau, et non dans l'air, et ils n'ont pas de poumons; ils doivent donc se procurer de l'oxygène d'une autre façon.

L'eau dans laquelle vit le poisson contient de l'oxygène en quantité. Les poissons ont des branchies, clapets de peau qui se trouvent juste derrière la tête, et sont dotés de vaisseaux sanguins superficiels. Lorsque le poisson nage, l'oxygène de l'eau passe dans son sang au travers des branchies.

Les branchies ont des vaisseaux sanguins superficiels qui recueillent l'oxygène de l'eau.

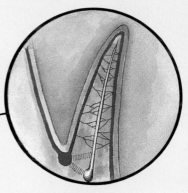

Gros plan
d'une branchie

Un poisson respire sous l'eau en prenant de l'eau par la bouche et en la rejetant au travers de ses branchies.

Le phoque a des poumons tout comme les êtres humains, mais il passe une grande partie de son temps sous l'eau.

Voici l'un des moyens qui nous permet de respirer la tête sous l'eau: un masque sous-marin.

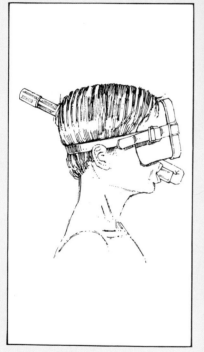

L'extrémité du tube du masque reste hors de l'eau pour que l'air arrive à la bouche.

La plupart des gens ne peuvent rester sous l'eau plus de 30 secondes sans revenir à la surface pour aspirer de l'air. Mais on a imaginé d'emporter sous l'eau une réserve d'air, par exemple en portant sur le dos des bouteilles d'air. Un tube attaché à ces bouteilles donne de l'air au nageur.
C'est ce qu'on appelle un scaphandre autonome.

Contrairement aux hommes, certains animaux dotés de poumons, comme les baleines et les dauphins, se sont adaptés à leur vie dans l'eau. Certaines baleines peuvent rester sous l'eau pendant une heure.

Plantes et animaux

Beaucoup de plantes et d'animaux d'espèces variées vivent dans la mer. Les plantes ne s'épanouissent que près de la surface de l'eau, car la lumière leur est nécessaire pour vivre. De nombreuses algues grandissent accrochées au sol marin dans les eaux peu profondes proches des côtes, mais des algues flottantes peuvent aussi se développer loin de la terre.

Souvent les plantes marines sont si petites qu'elles ne sont visibles qu'au microscope. Elles flottent, et sont charriées par des courants. Elles servent de nourriture à des animaux presque aussi petits qu'elles, qui flottent également dans la mer. Ces plantes et ces animaux minuscules ont reçu le nom de plancton.

Ce hérisson de mer peut dresser ses piquants. Cela lui évite d'être avalé par de plus grands poissons.

Les poissons vivent partout dans la mer, depuis la surface jusqu'aux fosses les plus profondes. Certains poissons peuvent même voler. Les poissons volants bondissent hors de l'eau pour échapper aux poissons plus grands.

Les poissons mangent les plantes, de petits animaux ou même d'autres poissons. Certains poissons se nourrissent des petits animaux qui construisent les récifs de corail.
Quant aux requins, ils chassent et mangent d'autres poissons grâce à leurs puissants ailerons et leurs robustes mâchoires. Les petits poissons se rassemblent souvent dans les hauts-fonds pour se protéger.

Les mers proches du pôle Nord et du pôle Sud sont très froides. Elles sont le domaine des baleines, des phoques et des pingouins.

Des algues flottantes couvrent une grande partie de l'Atlantique Nord: la mer des Sargasses. Certaines espèces de poissons ne peuvent vivre que parmi ces algues.

Les baleines à bosse bondissent parfois hors de l'eau, comme celle-ci, photographiée près des côtes canadiennes. Les savants ne connaissent toujours pas la raison de cette attitude.

27

Exploitation de la mer

La mer nous fournit de la nourriture en abondance, et notamment une grande variété de poissons. Ceux-ci vivent souvent en groupes nombreux que l'on appelle des bancs.

Mais on exploite aussi la mer autrement. On extrait des métaux utiles du sol marin. Beaucoup de ces métaux se trouvent là où l'eau est peu profonde et sont ramassés sans difficultés sur le sol marin. C'est le cas de l'étain. D'autres métaux se cachent en eaux plus profondes, sous la forme de gros morceaux, de la grandeur d'une balle de golf, que l'on appelle des nodules. Pour les extraire il faut les pomper au moyen d'une machine comparable à un aspirateur, ou encore les ramasser dans un grand filet semblable à ceux des pêcheurs.

La mer nous fournit du pétrole et du gaz aussi bien que de la nourriture. Cette tour de forage sonde le sol marin afin d'atteindre ces sources d'énergie. Le bateau de pêche tire un chalut qui ramasse les poissons.